Fiacla Folláine

Kate Rowan

Katharine McEwen
a mhaisigh

Máire Uí Mhaicín
a rinne an leagan Gaeilge

An Gúm
Baile Átha Cliath

'A MHAM!'

a bhéic Eoin.

'Gabh i leith anseo, GO GASTA!'

'Cad tá ort, a Eoin?'
arsa Mam.
'Nach bhfuil tú réidh
do d'fholcadh fós?'

'FÉACH!' arsa Eoin
go bródúil. 'Tá ceann
de m'fhiacla
ag bogadh!'

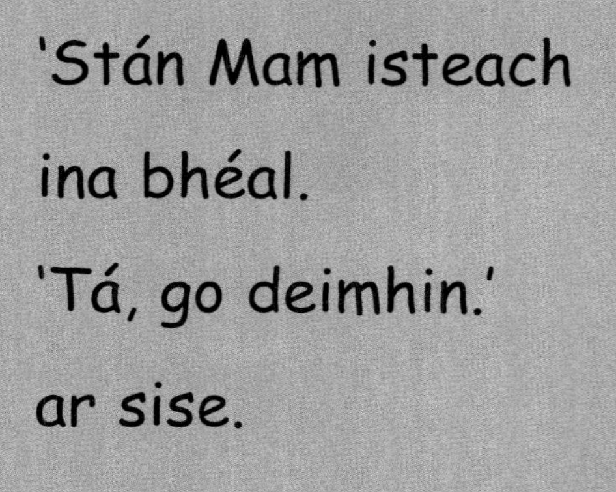

'Stán Mam isteach
ina bhéal.
'Tá, go deimhin.'
ar sise.

'Tá sí chun titim
amach, nach bhfuil?' arsa Eoin.
'Dúirt an fiaclóir go raibh
fiacail mhór thíos
faoin diúlfhiacail agus
go bhfuil an fhiacail mhór
ag iarraidh an fhiacail bheag
a bhrú as a slí.'

'Is fíor sin,' arsa Mam, agus
shín sí a scuab fiacla chuig Eoin.
'Ach ní thitfidh sí amach
go ceann cúpla lá eile.
Tar anseo, agus
glan na fiacla sin
i gceart.'

'A Eoin! Tá i bhfad
an iomarca den taos
ansin agat,' arsa Mam.
'Nach cuimhin leat an rud
a dúirt an fiaclóir!'

'Is cuimhin,' arsa Eo n.
'Dúirt sé nach gá ac
ruainnín bídeach
den taos fiacla, ma
go bhfuil stuif sa ta s
a dtugtar 'fluair' ai
agus gur leor beagá
den stuif sin.'

'**Fluairíd** an focal,' arsa Mam.

'Is ea,' arsa Eoin.

'Ach, a Mham, cad a dhéanann

an stuif sin ar chaoi ar bith?'

'Cabhraíonn sé leis na fiacla a choinneáil láidir,' ar sise.

'Tá fiacla láidre agamsa,' arsa Eoin.
'Níl poll ar bith iontu. Tá mórán poll
i bhfiacla Aoife atá i mo rangsa.
Deir a Mam go n-itheann sí
an iomarca milseán.'

'Is dócha go n-itheann,'
arsa Mam. 'Aoife bhocht!
Ach ní hiad na milseáin
amháin is cúis leis na poill.
Ní haon chabhair ach oireac
deochanna siúcrúla
agus smailcbhianna,
go háirithe mura nglanann t
na fiacla go minic. Ba chóir
iad a ghlanadh faoi dhó
sa lá, ar a laghad.'

'Thaispeáin an fiaclóir dom an chaoi
lena nglanadh,' arsa Eoin. 'Féach!
Osclaím mo bhéal go leathan.
Sciúraim barr agus cúl na bhfiacla.
Brúim an scuab siar is aniar.
Ansin druidim m'fhiacla ar a chéile
agus glanaim iad ar an taobh amuigh.'

'Togha!' arsa Mam.
'Ná déan dearmad do bhéal
a ní le huisce glan
nuair a bheidh tú
críochnaithe.'

Stán Eoin ar a chuid fiacla
sa scáthán. 'Cén fáth,'
ar seisean, 'a gcoisceann
an scuabadh na poill úd?'

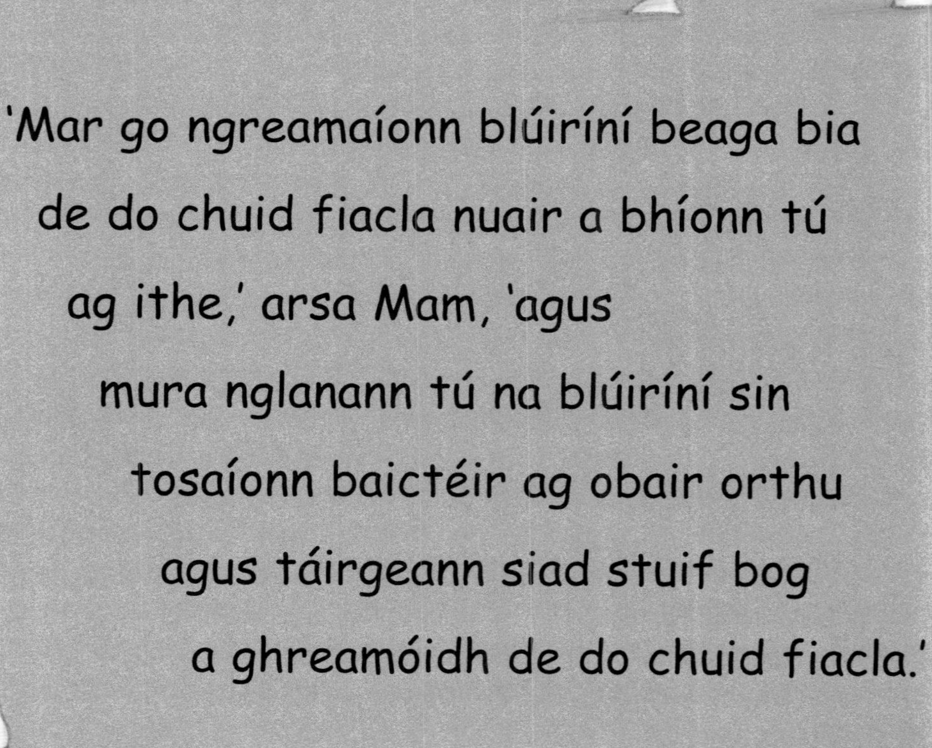

'Mar go ngreamaíonn blúiríní beaga bia
de do chuid fiacla nuair a bhíonn tú
ag ithe,' arsa Mam, 'agus
mura nglanann tú na blúiríní sin
tosaíonn baictéir ag obair orthu
agus táirgeann siad stuif bog
a ghreamóidh de do chuid fiacla.'

'**Plaic** an t-ainm atá ar an stuif sin,' arsa Mam. 'Maireann baictéir ann agus cothaíonn siad iad féin ar an siúcra sna blúiríní bia. As sin tagann leacht láidir — **aigéad** — a chreimeann an taobh amuigh de na fiacla agus a dhéanann poill iontu.'

'Ó,' arsa Eoin, agus isteach leis san fholcadán, 'an bhfuil difear idir an taobh amuigh agus an taobh istigh?'

'Tá,' arsa Mam, 'difear mór.
Cruan atá sa chlúdach bán
taobh amuigh. Tá sé chomh crua
le hiarann. Go deimhin,
is é an cruan an t-ábhar
is crua i do cholainn uile.'

'Agus faoin gcruan,' ar sise
'tá stuif cnámhach
a dtugtar **déidín** air.
Laistigh de sin arís
tá **bia na fiacaile**.
Tá sé sin an-bhog agus
tá a lán soithí fola
agus néaróg ann.'

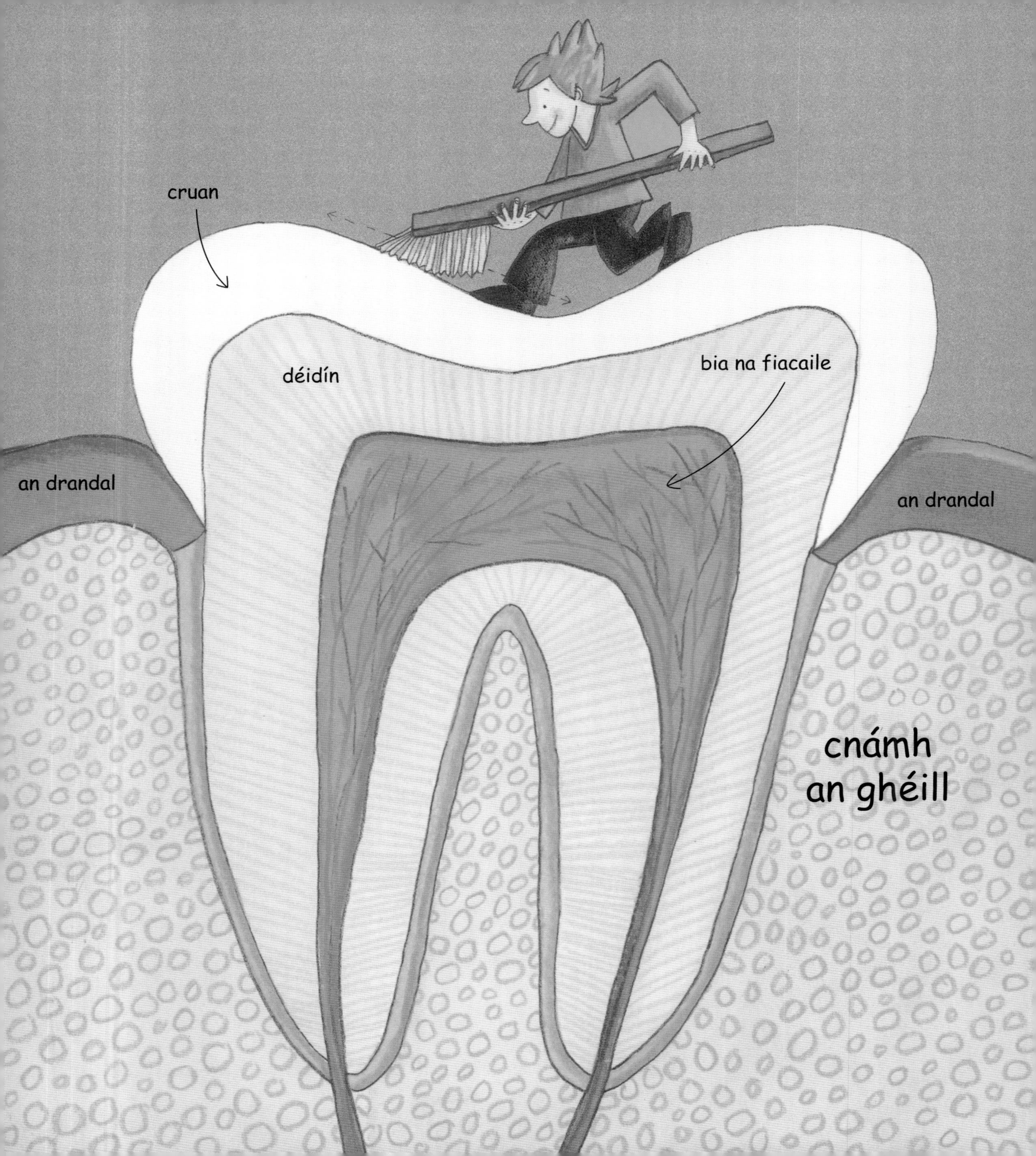
cruan
déidín
bia na fiacaile
an drandal
an drandal
cnámh
an ghéill

'Tá a fhios agam faoi na **néaróga**,' arsa Eoin. 'Iad sin a insíonn dom cé acu atá rud fuar nó te nuair a leagaim lámh ar rud éigin.'

'Sin gnó amháin atá acu,' arsa Mam, 'ach insíonn siad duit freisin nuair a bhíonn pian ort. An cuimhin leat an uair úd a bhí poll i gceann de m'fhiacla féin agus bhí tinneas fiacaile orm?'

'Uch!' arsa Eoin, 'Tá súil agam nach mbeidh tinneas fiacaile ormsa choíche!'

'Tá súil agamsa, freisin, nach mbeidh. Sin é an fáth a gcaithfidh tú aire a thabhairt do do chuid fiacla. Ní fhásann na fiacla móra ach an t-aon uair amháin agus beidh ort a bheith ag brath orthu ar feadh do shaoil.'

'An dtitfidh mo chuid diúlfhiacla uile amach?' arsa Eoin.

'Titfidh,' arsa Mam, 'ach ní thitfidh siad uile ag an am céanna. Fiche diúlfhiacail atá agat, agus titfidh siad ina gceann is ina gceann laistigh de chúpla bliain.'

'Is é an fáth,' arsa Eoin, 'a dtugtar diúlfhiacla ar na fiacla atá agam anois ná toisc gur thosaigh siad ag fás nuair a bhí mé i mo bháibín. Ach ní báibín a thuilleadh mé! Sin é an fáth a bhfuil na fiacla móra ag fás!'

'Cruinn ceart,' arsa Mam. 'Dhá cheann is tríocha de na fiacla móra a bheidh agat, agus beidh a bhformhór agat faoin am a bheidh tú trí bliana déag. Ach ní fhásfaidh **na fiacla forais**, go dtí go mbeidh tú níos sine ná sin.'

Chlaon Eoin a cheann. 'Is ea, a Mham. Go dtí go mbeidh mé i m'fhear mór.'

'Cén fáth a dtugtar fiacla forais orthu?' a d'fhiafraigh Eoin.

'Toisc go mbeidh tú níos sine agus níos críonna faoin am a fhásfaidh siad,' arsa Mam. 'Tá ainmneacha ar na fiacla eile freisin!'

'An bhfuil?' arsa Eoin. 'Cad iad?'

4 chlárfhiacail
i lár baill,
thuas agus thíos

'Bhuel, tugtar **clárfhiacla** ar na fiacla tosaigh,' arsa Mam. 'Gearrann siad do chuid bia mar a dhéanfadh siosúr. **Géaráin** a thugtar ar na cinn ghéara atá cosúil le fiacla madra. Stróiceann siad an bia agus baineann siad greim as rudaí. Agus thiar i do bhéal tá na **cúlfhiacla** a dhéanann an bia a chogaint is a mhungailt.'

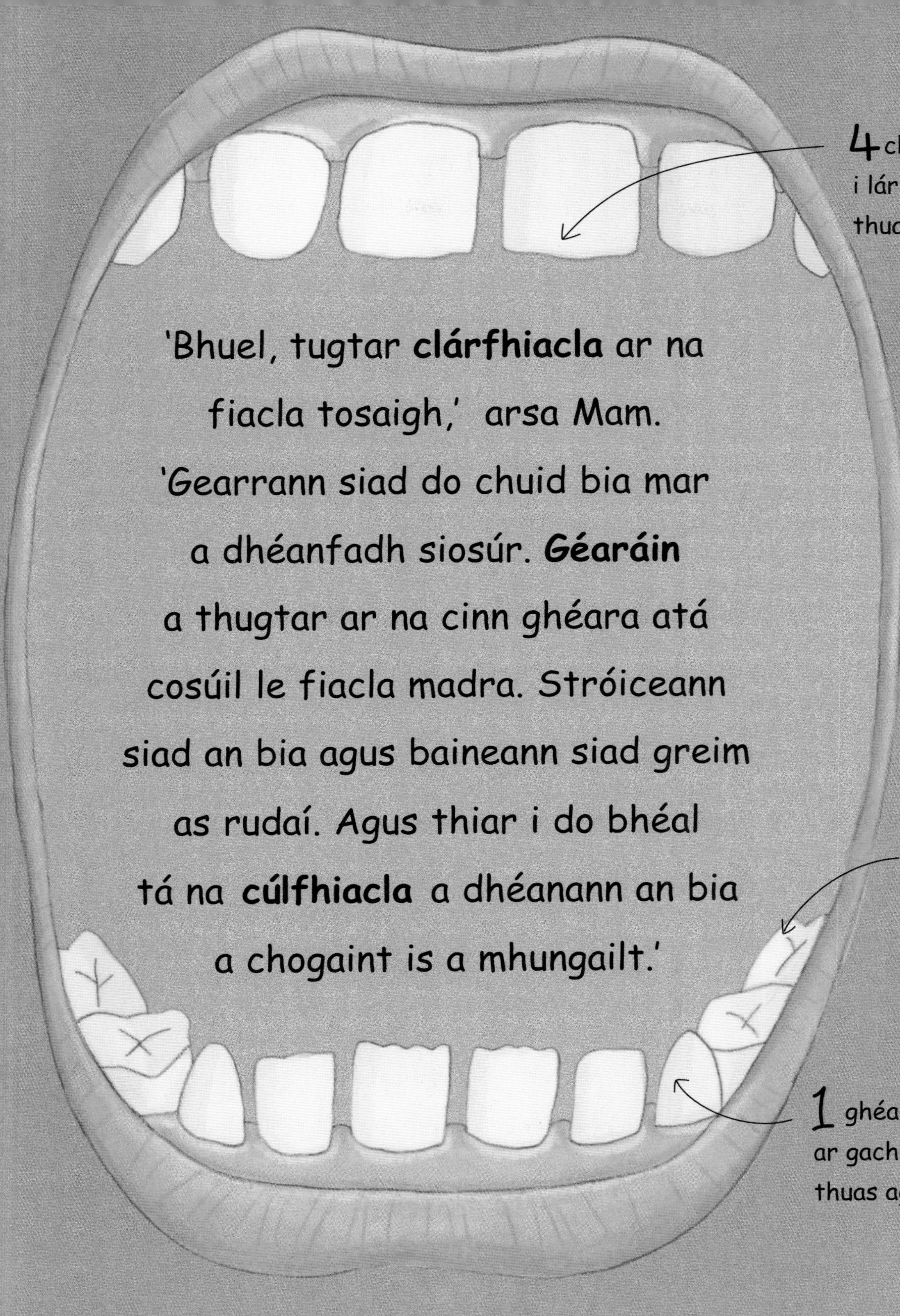

2 chúlfhiacail
ar gach taobh,
thuas agus thíos

1 ghéarán amháin
ar gach taobh,
thuas agus thíos

8 gclárfhiacail + 8 gcúlfhiacail + 4 ghéarán = 20 diúlfhiacail

Chuir Eoin air
a chulaith oíche.
'A Mham,'
ar seisean ansin,
'tá géaráin ag madraí.'

'Tá, go deimhin,' arsa Mam.

'Bhuel, tá a fhios agamsa ainmhí a bhfuil na céadta fiacail aige,' arsa Eoin.

Rinne Mam gáire.

'Cén t-ainmhí é sin?'

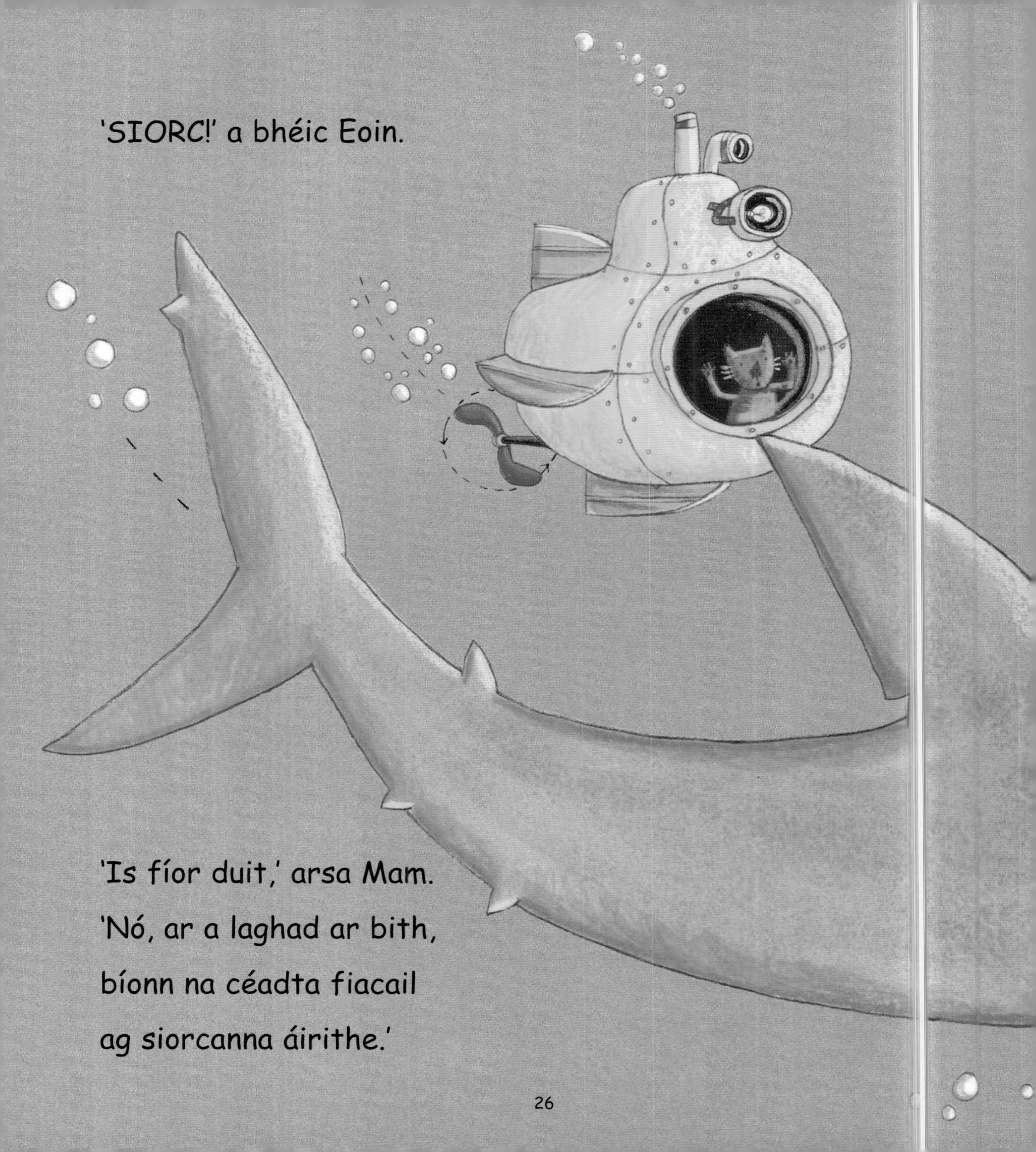

'SIORC!' a bhéic Eoin.

'Is fíor duit,' arsa Mam. 'Nó, ar a laghad ar bith, bíonn na céadta fiacail ag siorcanna áirithe.'

'Agus an bhfuil a fhios agat seo?' arsa Mam.
'Bíonn siad i gcónaí ag cailleadh a gcuid fiacla
agus iad ag cogaint a gcuid bia, ach
leanann na fiacla orthu
ag fás ar feadh
a saoil.'

'Bhuel,' arsa Eoin go dáiríre,
'ní chaillfidh mise ceann ar bith
de mo chuid fiacla móra
nuair a fhásfaidh siad.'

'Maith thú!' arsa Mam. 'Beidh fiacla breátha láidre áille agat mar sin nuair a bheidh tú i d'fhear mór.'

Rinne Eoin meangadh.

'Fiacla breátha láidre áille chun tusa a alpadh ...'

'Seachain an siorc!'

Eoin
cruan
déidín
bia na fiacaile
clárfhiacail
cúlfhiacail
géarán